PIETJE PRINSES
DE SCHAT VAN DUIZEND-EN-EEN-NACHT

Van Mirjam Mous zijn verschenen:
Lange vingers
Alle Dagen Hartstikke Druk
Prinses voor eventjes dan
Nat
Vigo Vampier – Een bloedlink partijtje
Vigo Vampier – Een bloeddorstige meester
Vigo Vampier – De bloedneusbende
Vigo Vampier – Het bos van Bloedbaard

Wil je meer lezen over Pietje Prinses?
Lees dan ook *De spiegeltje spiegeltje verkiezing*
en *Kaboutertjes bestaan wél!*

Mirjam Mous

Pietje Prinses
De schat van
Duizend-en-een-nacht

Met tekeningen van Marja Meijer

Van Holkema & Warendorf

NEDERLANDSE
KINDERJURY
2007

ISBN 90 269 1710 4
NUR 282
© 2006 Uitgeverij Van Holkema & Warendorf,
Unieboek BV, Postbus 97, 3990 DB Houten

www.unieboek.nl
www.mirjammous.nl

Tekst: Mirjam Mous
Tekeningen: Marja Meijer
Omslagontwerp: Petra Gerritsen
Zetwerk: ZetSpiegel, Best

Inhoud

Vakantie

'Naar een pretpark,' zegt Pietje Prinses.

De koningin schudt haar hoofd. 'Dat is leuk voor een dagje, niet voor drie weken.'

'Hoezo niet?' Pietje wipt met haar stoel. 'Lekker een miljoen keer in de achtbaan!'

'Alsjeblieft niet,' zegt haar grote zus Priscilla. Ze wordt al misselijk bij het idee.

'Wat dachten jullie van kamperen?' stelt de koning voor. 'Tentje aan het meer. Beetje vissen.'

'Zeilen en zwemmen en vlotten bouwen!' roept Pietje opgewonden.

'En dan zeker in de rij bij de wc staan?' De koningin snuift. 'Nee hoor, we slapen in een hotel.'

'Een hotel in de stad, hè mam?' smeekt Priscilla. 'Daar zijn tenminste winkels.'

De koningin knikt. 'En allerlei interessante musea die we kunnen bezoeken.'

Helemaal niet interessant! denkt Pietje. Ze
is één keer in een museum geweest. Rennen
en gillen was er streng verboden. Overal hin-
gen stomme bordjes met *Stilte a.u.b.* en *Niet
aankomen* erop.

Ze laat de voorpoten van haar stoel met een
klap neerkomen. 'Dan blijf ik nog liever
thuis!'

De koningin zucht diep. 'Een strandvakantie dan?'

Precies op dat moment wordt er op de deur geklopt.

'Binnen,' bromt de koning.

Het is een lakei en hij buigt als een knipmes. 'Post, majesteit.' Hij draagt een zilveren schaaltje waar een brief op ligt.

Priscilla's ogen beginnen te stralen. 'Misschien is het een uitnodiging voor een bal.'

Gaap! Pietje houdt meer van voetbal. Op een dansfeest trappen er telkens prinsen op je tenen.

Ze glijdt onderuit in haar stoel.

De koning tilt de brief van het schaaltje. 'Dank je wel, Jansen. Je kunt gaan.'

De lakei zakt even door zijn knieën en verdwijnt naar de gang.

De koning ritst met zijn pink de envelop open.

Dan ziet Pietje de postzegels pas. Plaatjes van tijgers en krokodillen in felle kleuren. Die brief komt vast uit een heel ver land! Ze veert overeind. 'Van wie is-ie?'

'Is híj,' verbetert Priscilla.

De ogen van de koning vliegen over de regels. 'Hij komt van sultan Moesafar.'

'Welke sul?' vraagt Pietje.

'Sultán,' antwoordt Priscilla nuffig. 'In oosterse landen is dat net zoiets als een koning. Je moet voortaan beter opletten met aardrijkskunde.'

Pietje is ineens doof. Hallo zeg, het is wel even vakantie!

De koning maakt hummende geluiden. Ten slotte legt hij de brief op tafel en zegt: 'We gaan op reis. Naar de stad van Duizend-en-een-nacht.'

'Hebben ze daar winkels?' vraagt Priscilla.

'Winkels en marktkraampjes en musea,' antwoordt de koning.

'Jakkes.' Pietje steekt haar tong uit.

'En een doolhof van straatjes,' vervolgt de koning. 'En buikdanseressen met sluiers voor hun gezicht. En kamelen waarop je kunt rijden.'

'Échte kamelen?' Pietje is acuut niet chagrijnig meer. Ze ziet zichzelf al zitten, tussen twee bulten!

'Mijn oude vriend Moesafar heeft ons uitgenodigd. We mogen in zijn paleis logeren.' De koning strijkt over zijn kale hoofd. 'Morgenvroeg vertrekken we. We hebben een lange treinreis voor de boeg.'

'Morgen al.' De koningin staat haastig op. 'Ik laat meteen de koffers pakken.'

'En ik ga mijn haar wassen.' Priscilla schrijdt in haar hoepeljurk de kamer uit. Je kunt haar benen niet zien bewegen. Het is net alsof ze op wieltjes rijdt.

Pietje huppelt achter haar zus aan en zingt uit volle borst. 'We gaan naar verre landen, Magom, Magom, Magommetje!'

De treinreis

Pietje stapt als eerste het overvolle perron op. De trein staat er al! Ze wurmt zich tussen alles en iedereen door. Net zo lang tot ze de wagon met het kroontje ziet.

'Hiero!' Ze zwaait naar haar ouders en Priscilla. En naar de zeven lakeien die achter hen aan sjokken. Met koffers en tassen en dozen met linten erom.

Bam!

Iemand botst keihard tegen Pietje op. Iemand met een boek in de hand. De stijve kaft raakt Pietjes neus.

'Au!' Pietje ziet sterretjes. En een jongen in een suède jas met franjes. Hij draagt een slappe, leren hoed en een rugzak.

Een ontdekkingsreiziger, flitst het door haar heen.

Hoewel... Die hebben meestal niet ook nog een zwart koffertje bij zich.

'Hallo,' foetert ze. 'Kun je niet uitkijken?'

'Hallo.' De jongen kijkt verstrooid op uit zijn boek. Zijn ogen hebben twee verschillende kleuren. Het ene is groen en het andere bruin.

'Sorry,' mompelt hij. 'Ik was aan het lezen.'

'Ja, dat heb ik gemerkt.' Pietje wrijft over haar zere neus.

'Het spijt me echt heel erg.' De jongen glimlacht verontschuldigend. 'Maar het verhaal is ook zo spannend.'

Pietje vindt het boek er anders maar saai uitzien. Er staan vast geen plaatjes in. 'Ik lees liever strips,' zegt ze. 'Op bed.'

'Ook leuk.'

'En veiliger.'

'Stripboeken?' vraagt de jongen verbaasd.

'Op bed, suffie.' Pietje grijnst.

De jongen grijnst terug. 'Ik heet trouwens Sergio.'

'Pietje,' zegt Pietje.

'Ik zal voortaan beter uitkijken.' Sergio

klapt het boek dicht, met zijn vinger ertussen.

'Dag Pietje.'

'Doei!' roept Pietje.

Sergio verdwijnt in de wagon naast die van hen.

Pietje zet ongeduldig een voet op de treeplank. Ze pakt de stang van de deur beet en gaat achterover hangen. De koninklijke stoet schiet nog steeds niet erg op.

Als ze nog langzamer gaan lopen, vallen ze om, denkt Pietje.

Nou, zij gaat vast naar binnen, hoor!

Hun treinstel is een soort poppenhuis op wielen. De gang geeft toegang tot drie verschillende coupés. In de eerste staat een tafel met aan weerszijden banken. Dat is de eetkamer.

Voor de ramen van de tweede coupé hangen gordijnen. Als Pietje de deur opendoet, ziet ze vier smalle bedden. Twee boven en twee beneden. De slaapkamer.

14

In de laatste coupé is een piepklein wc'tje met een wastafel en een gouden kraan.

De koningin komt eindelijk de trein in en wappert met haar zakdoek. 'Poepoe, wat een gesjouw.'

De lakeien lopen in optocht achter haar aan. Ze leggen de bagage in de rekken. Wat er niet meer bij past, schuiven ze onder de bedden.

'Is alles zo naar wens, majesteit?' vraagt de opperlakei.

De koningin puft uit op de bank. 'Ja ja. Jullie kunnen gaan.'

'Goede reis, majesteit.' Ze buigen alle zeven en marcheren weer naar buiten.

Op het perron snerpt een fluitje.

'Waar blijven papa en Priscilla toch?' vraagt de koningin ongerust.

'Hier zijn we al.' De koning wandelt arm in arm met Priscilla door het gangpad.

Pietje klautert op tafel en steekt haar hoofd uit het raam. 'Op een klein stationnetje...' zingt ze.

Uit de locomotief komt een zwarte rook-
pluim. De deuren slaan dicht en de stoomfluit
gilt. Dan zet de trein zich met een rukje in be-
weging. Pietje kukelt bijna van de tafel af.

Bonkebonke, doen de wielen. Ze rijden al uren
door weilanden, akkers en bossen.

Pietje probeert de vering van alle bedden uit.
Ze test ieder knopje en hendeltje in de wc.

Dan roept haar moeder haar voor het eten.
Ze krijgen broodjes met kaas en zoete thee.
Een meisje uit de restauratiewagen haalt de
vuile borden en glazen op.

Het hoofd van de koning zakt scheef. Hij
snurkt met korte pufjes. De koningin is ver-
diept in haar borduurwerkje.

'Zullen we verstoppertje doen?' vraagt Pietje aan haar zus.

Priscilla staart recht voor zich uit. 'Sorry
hoor, ik ben een beetje misselijk.'

Wat een stelletje saaie pieten!

'Dan niet.' Pietjes benen kriebelen van on-

geduld. Weet je wat? Ze gaat de rest van de trein verkennen.

'Waar ga je…' begint haar moeder.

Maar Pietje is al weg.

Pietje wandelt via de wiebelige loopbrug naar het volgende treinstel. De coupés zijn hier minder chic. Er staan alleen banken en tafels in, geen bedden.

Ze hupt op één been door het gangpad. 'Hinkeldepinkel, daar komen wij aan.'

Hé, daar zit Sergio. Zijn koffertje is opengeklapt en er puilen allerlei papieren uit.

Pietje klopt op het raam van de coupé. 'Hoi Serg!'

Verstoord kijkt hij op.

'Is je boek al uit?' schreeuwt Pietje.

De deur gaat op een kier.

'Kom gauw binnen,' zegt Sergio. 'Voordat er mensen gaan klagen.'

'Klagen?' Pietje ploft naast hem. Op de tafel ligt een vel papier met ingewikkelde tekens.

'Wat is dat?' vraagt ze nieuwsgierig.

'Een oude tekst die ik moet vertalen.' Sergio heeft de hoed naast zich neergelegd. Hij strijkt door zijn warrige haar. 'Ik studeer geschiedenis.'

'Ik dacht dat je ontdekkingsreiziger was,' zegt Pietje teleurgesteld.

Sergio knakt met zijn vingers. 'Later misschien, als ik professor ben. Dan kan ik kostbare schatten gaan opgraven.'

'Net als Ali Baba.' Pietje zet haar handen als een toeter om haar mond. 'Sesam open u!'

'Ja, dat zou tof zijn. Maar voorlopig zit ik nog tussen de boeken.' Sergio's ogen glanzen van opwinding. 'Morgen ga ik meteen naar de bibliotheek. Die van Duizend-en-een-nacht schijnt geweldig te zijn.'

Pietje steekt haar tong uit. Heel spannend, maar niet heus.

'Ik heb lekker vakantie,' zegt ze. 'We gaan bij de sultan logeren, in zijn paleis.'

Sergio's wenkbrauwen wippen omhoog.

'Straks ga je me nog vertellen dat je een echte prinses bent.'

'Ben ik ook.'

Even denkt Pietje dat Sergio een geit in de coupé heeft verstopt. Maar het mekkerende lachje komt uit zijn eigen mond.

'Echt hoor!' zegt ze.

Sergio stopt met lachen. Hij staart naar haar jurk. 'Dus dáárom...'

Pietje knikt.

'Wauw.' Sergio klakt met zijn tong.

'Mijn zus Priscilla is ook een prinses,' vertelt Pietje. 'Ik ga kameel rijden. Priscilla niet, die moet al overgeven als ze in een hobbelige koets zit...'

Pietje praat en praat, terwijl de wielen verder bonken en het landschap steeds glooiender wordt.

De stad van Duizend-en-een-nacht

De volgende ochtend is Pietje al vroeg wakker. Ze gluurt door een kier van de gordijntjes bij haar hoofd. De zon schijnt fel. Ze moet haar ogen tot spleetjes knijpen.

Zo hé! Ze rijden dwars door een woestijn! Meteen krijgt ze dorst. Ze springt van het bed op de vloer.

'Hè, wat, waar?' kreunt Priscilla.

'Moet je buiten kijken, man,' fluistert Pietje. 'Eén grote zandbak.'

De koningin wordt nu ook wakker. Ze tuurt naar het reiswekkertje en schrikt. 'Om half-acht wordt het ontbijt geserveerd. We moeten ons snel wassen en aankleden.'

'Ik eerst.' Pietje graait haar jurk van de haak naast het bed en verdwijnt naar het wc'tje.

Ze eten gebakken eieren met spek. Priscilla wil alleen maar koffie.

Voor het raam flitsen palmbomen voorbij. En kronkelende riviertjes met hutten op de oever.

'We zijn er bijna,' zegt de koning. 'Dadelijk kun je de stad zien liggen.'

Pietje Prinses drukt haar neus tegen het raam. De trein maakt een bocht langs een

groene vallei en dan doemen in de verte muren en huizen op. De daken schitteren als juwelen.

Wauw! Pietje telt meer dan honderd torentjes met puntmutsen op.

Achter de stad ligt een reusachtige berg. In de rotsen zijn figuren uitgehakt. Een slang bijvoorbeeld. En een kat met drie gezichten.

'Moet je daar kijken!' roept Pietje. 'Die leeuw heeft een vrouwenkop.'

'Hoofd,' zegt de koningin.

'Dat is de godin van Duizend-en-een-nacht,' legt de koning uit. 'Ze zeggen dat ze een schat bewaakt.'

'Hoor je dat?' Pietje stompt tegen Priscilla's schouder.

Priscilla doet lodderig haar ogen open. 'Zijn we er?'

'Nog even volhouden, lieverd.' De koningin geeft haar een zakdoekje met eau de cologne.

De trein rijdt langzamer en langzamer. Hij koerst op een hoge, gemetselde poort af. Het

donkere gat is net een muil. Op de stenen erboven zijn twee ogen geschilderd.

'Hij vreet ons op!' brult Pietje enthousiast.

Het donker slokt hen op en spuwt hen daarna weer uit. In het felle licht verschijnt ineens
het station. Wat is het er druk! Pietje ziet tulbanden en sluiers en schoenen met krullende
neuzen. Meloenverkopers en schoenpoetsers
en zelfs een babyolifantje!

Sissend komt de trein tot stilstand.

'Eindelijk.' Priscilla slaakt een zuchtje van
opluchting.

Pietje en haar zus zijn als eersten buiten. De
hitte slaat als een vochtige deken om hen
heen. De lucht prikkelt van wel duizend verschillende geuren.

Priscilla kijkt in de richting van de trein. 'Zit
mijn haar goed?' vraagt ze dringend aan Pietje.

'Hoogheid,' klinkt een plagerige stem.

Pietje draait zich om. 'Serg!'

Priscilla's gezicht is net een toverbal. Het verandert van wit naar rood.

'Mijn zus,' zegt Pietje.

Sergio maakt een kleine buiging. 'Sergio. Aangenaam kennis met je te maken.'

Priscilla trilt als een rietje.

De koning en de koningin stappen uit de trein en roepen om een kruier. Niemand reageert.

Dan schreeuwt Sergio iets in een vreemde taal. Meteen komen er een paar mannen met karretjes aangestormd.

'D-Dank je wel,' stamelt Priscilla.

Sergio tikt tegen zijn hoed. 'Graag gedaan. Misschien zie ik jullie nog wel.' Hij geeft Pietje een knipoog en verdwijnt in de massa.

'Waar ken je hem van?' Priscilla rukt Pietjes arm bijna uit de kom.

'Gewoon, van de trein.' Pietje staart haar zus verbaasd aan. En dan ineens weet ze het. 'Je bent verliefd!'

'Doe niet zo raar,' zegt Priscilla snel.

De kruiers hebben alle bagage op de karretjes geladen. Pietje, Priscilla en hun ouders lopen achter hen aan. In de stationshal zien ze een man in een glimmend pak. Hij houdt een bordje voor zijn buik, waarop hun namen staan geschreven.

'Dat zijn wij!' roept Pietje.

Gelukkig spreekt de man hun taal een beetje. 'Wult u mij maar vulgen?'

Ze steken de straat over, naar een rivier. Daar ligt een sierlijke boot klaar. Ze gaan aan boord en wachten tot alle koffers en dozen in het vooronder zijn gedragen. Dan worden de zeilen gehesen en varen ze weg.

Priscilla staat samen met Pietje op de voorplecht. Ze speurt de hele tijd de kade af. 'Denk je dat we Sergio nog tegenkomen?' vraagt ze.

Pietje moet zichzelf knijpen om het te geloven. Priscilla vergeet gewoon misselijk te worden!

Oei!

Het paleis van de sultan is net een grote taart. De muren zijn zo roze als marsepein en de daken van de torens lijken op slagroomtoefjes. Via een hoge deur komen ze in een hal met muren van bladgoud.

'Welkom, welkom.' Sultan Moesafar omhelst de koning en geeft de koningin een handkus. 'Kom, dan wijs ik jullie het gastenverblijf.'

Priscilla steekt haar vinger op. 'Mag ik alstublieft eerst even van het toilet gebruikmaken?'

'Ik moet ook nodig,' zegt Pietje.

Een dienaar brengt hen naar een deur met een fonteintje ernaast. Hij vraagt iets in een vreemde taal en Priscilla knikt.

'Wat zei hij?' vraagt Pietje als ze in de wc-ruimte staan.

'Dat weet ik niet,' antwoordt Priscilla. 'Maar een prinses moet altijd netjes en beleefd zijn.'

Ze doen een plas. Priscilla wast haar handen en Pietje trekt gekke bekken in de spiegel.

Als ze weer op de gang komen, is de dienaar verdwenen.

'Hij heeft natuurlijk gevraagd of we zelf de weg terug wisten,' moppert Pietje.

'Het spijt me. Ik zal nooit meer zomaar ja knikken,' belooft Priscilla.

Wat nu? Pietje kraakt haar hersens. 'Volgens mij kwamen we van links.'

Ze slaan linksaf en rechtsaf en linksaf. De ontvangsthal zou toch hier om de hoek moeten zijn.

Maar nee... Ze duwen op goed geluk een deur open en komen in een grote zaal. Er staan geen meubels in. Alleen maar een beeld van een leeuw met een vrouwenhoofd.

'De godin van Duizend-en-een-nacht!' roept Pietje.

En wat een fantastisch klimrek! denkt ze er meteen achteraan.

Het beeld is wel vijf meter hoog en nergens

hangt een bordje met *Niet aankomen* erop.
Pietje voelt aan de leeuwenpoten.

'Wat ga je doen?' Priscilla kijkt zenuwachtig
om zich heen.

'Gewoon.' Pietje zet haar voet op de rechter-
klauw en trekt zich op.

Kraaaaaak!

'Wat was dat?' fluistert Priscilla verschrikt.

Pietje springt vlug naar beneden, maar het

is al te laat. Met een plok valt er een brok steen op de vloer. De leeuw mist nu een paar tenen.

Oeioeioei! denkt Pietje.

'Je hebt zeker geen lijm bij je?' vraagt ze benauwd.

'Nee, oen.' Priscilla huilt bijna.

Pietje voelt in de zak van haar jurk. Een vieze zakdoek. Een snoeppapiertje. Yes! Ze heeft nog roze klapkauwgom!

Pietje propt de inhoud van het pakje in één keer in haar mond. Als het nou maar werkt!

Ze hurkt voor het beeld en glijdt met haar vingers langs de leeuwenpoot. Het beeld is hol, ze kan zo naar binnen kijken.

Haar hart maakt een sprongetje. 'Hé! Er zit iets in!' Ze wurmt twee vingers in de opening en zoekt op de tast.

Hebbes! Het voelt als papier.

Ze haalt het heel voorzichtig naar zich toe.

Uit de leeuwenpoot floept een gele rol.

'Wat is het?' vraagt Priscilla.

Gespannen vouwt Pietje de rol open. Op het

papier is een wirwar van lijnen getekend, met een heleboel plaatjes erbij. Een leeuw met een vrouwenhoofd. Een oog. Een waterval. En een kist met een kruis erdoor!

Pietje vergeet even te ademen. De stem van haar vader echoot in haar oren. *Dat is de godin van Duizend-en-een-nacht. Ze zeggen dat ze een schat bewaakt.*

EN DIT IS DE SCHATKAART! denkt Pietje.

Ze begint te juichen en te dansen.

'Rustig nou.' Priscilla's ogen schieten van de afgebroken leeuwentenen naar de deur.

'Het is een schatkaart,' zingt Pietje. 'We worden stinkend rijk!'

'We zijn al rijk,' zegt Priscilla. 'Maak nou alsjeblieft eerst dat ding weer heel.'

'Oké, oké.' Pietje legt de kaart neer. Ze trekt een kauwgomsliert uit haar mond en plakt hem tegen het uiteinde van de kapotte poot. Dan drukt ze de klauw terug op zijn plaats. Nu nog een beetje dichtkitten met de rest van de kauwgom... Pfff, het beeld is weer heel.

'Het is alsof de godin een roze armband draagt,' zegt Priscilla.

Pietje haalt haar schouders op. Een kniesoor die daarop let.

In de gang galmen voetstappen.

'Pétronelláááá, Priscilláááá? Waar zijn jullie?' Die operazangeres is hun moeder!

'Hier mam!' roept Priscilla.

'Wacht!' Pietje grist de schatkaart van de vloer en vouwt hem dubbel. Vlug, vlug. Jurk omhoog. Ze klemt de schatkaart achter het elastiek van haar onderbroekje. Jurk omlaag.

De deur zwaait open. Daar staat de koningin met de dienaar die hen daarnet naar de wc heeft gebracht.

'Het spijt me, we waren verdwaald,' zegt Priscilla.

Pietje houdt haar handen voor haar buik.

Pompidompidom.

Smoesje

'Waar slapen we?' vraagt Pietje. 'Ik wil onze kamer zien.'

En de schatkaart! denkt ze. Maar dat vertelt ze er natuurlijk niet bij.

'Straks,' zegt de koningin. 'We gaan eerst even theedrinken met de sultan.'

Ze zitten op kussens rond een laag tafeltje.

Even, denkt Pietje knorrig. Die stomme theevisite duurt al een uur! De koning en de sultan blijven maar herinneringen ophalen.

Pietje heeft twee koppen thee en drie gebakjes op. De schatkaart prikt tegen haar buik en haar benen zitten vol friemelbeestjes.

'Ik zal jullie zo een rondleiding geven,' zegt de sultan ten slotte.

Ja, doei! Als ze nog langer moet wachten, ploft ze uit elkaar. Pietje geeuwt overdreven. Hint, hint.

'Je moet je hand voor je mond houden,' fluistert Priscilla.

Pietje gaapt nog eens, nu met geluid.

'Ben je moe?' vraagt de sultan.

Hèhè.

De koningin fronst haar wenkbrauwen. 'Pietje is nooit moe.'

'Nu wel, hoor.' Pietje wrijft in haar ogen.

'Het komt vast door de reis,' zegt de koning. 'Misschien willen de meisjes liever naar hun kamer gaan?'

'Ja!' brult Pietje.

Iedereen kijkt haar raar aan.

Oh ja, ze is moe. Vlug maakt ze haar lijf slap en ze zucht.

De sultan gebaart naar een dienaar. 'Hij zal jullie naar jullie vertrekken brengen.'

Als ze naar de logeerkamer lopen, let Pietje heel goed op. Deze keer wil ze de weg zelf terug kunnen vinden!

De koffers zijn al uitgepakt. Hun jurken hangen in de kast en Pietjes pyjama en Priscilla's nachtjapon liggen klaar op het hemelbed. Priscilla gaat aan de kaptafel zitten en maakt haar make-uptasje open. Pietje haalt de schatkaart tevoorschijn.

'Je moet hem eigenlijk aan de sultan geven,' zegt Priscilla. 'Hij zat in zíjn beeld.'

'Die is gek!' Pietje springt op het bed en vouwt

de kaart uit. 'Dan gaat hij zelf naar de schat zoeken. Zonder ons!'

'Ik wíl niet eens mee.' Priscilla stalt aan de lopende band tubes en potjes uit. 'Van schat- graven krijg je vreselijk vieze nagels.'

En van zeurende zussen krijg je hoofdpijn!

Pietje tuurt naar de kaart tot ze alleen nog maar vlekken ziet. Kon ze die rare tekens maar lezen. Zo vindt ze die schat dus nooit.

Maar wacht eens even...

'Sergio!' roept ze opgewonden.

Priscilla laat een doosje oogschaduw vallen en kijkt om zich heen. 'Waar, waar?'

'Onder het bed, nou goed?' Pietje vliegt overeind. 'Ik moet mijn stepje hebben.'

Ze heeft haar moeder net zo lang aan haar hoofd gezeurd tot het mee op vakantie mocht.

'Daar.' Priscilla wijst naar de muur.

Pietje propt de schatkaart weer in haar onderbroek. 'Hou jij de deur even open? Ik ga naar de bieb.'

Priscilla pakt de klink vast. 'Naar de bieb? Jij?'

'Sergio zoeken,' zegt Pietje ongeduldig.

'Sergio?' Priscilla legt haar hand op haar borst.

Pietje start het motortje van haar elektrische step. Broem broem!

'Wacht!' roept Priscilla. 'Ik ga ook mee. Ik ben toch wel heel benieuwd naar die tekens.'

Ze staan achter elkaar op de step. Pietje houdt het stuur vast en Priscilla de schouders van Pietje. Broem broem. Ze zoeven de gangen door, langs de ontvangstzaal. Broem. Daar zijn de grote deuren waardoor ze binnen zijn gekomen. Pietje rijdt er met een vaartje op af.

'Pétronellááá!'

Verhip, haar moeder weer!

'Ik heet Pietje,' mompelt Pietje. 'Geen Pétronella.'

De koningin stuift door de gang, met de koning en de sultan in haar kielzog. 'Waar ga je heen?'

'Naar de bieb.' Pietje zet haar liefste gezicht op. Als het nou maar mag.

'De bibliotheek?' De koning lacht alsof ze een mop heeft verteld.

'Ik dacht dat je zo moe was.' De koningin kijkt Pietje achterdochtig aan.

'We gaan… eh…' Pietjes hersens werken op volle toeren. Ze moet vlug wat verzinnen! En niet vertellen dat Sergio vreemde tekens kan vertalen, anders raden ze het van de schat-kaart.

'…een woordenboek lenen,' zegt ze. 'Dan kunnen we voortaan opzoeken wat de diena-ren zeggen.'

Zo, als dat geen goeie smoes is.

De koningin aarzelt. 'Jullie kennen de stad niet. Er kan van alles gebeuren.'

Nee hè?

Maar de sultan redt hen. 'Ik kan een lijf-wacht meesturen.'

'Maar dan wel eentje die ze kunnen ver-staan,' commandeert de koningin.

Bieb

De lijfwacht is een prima wegwijzer. Hij rent op zijn gespierde benen voor het stepje uit.

'Oeps!' gilt Priscilla bij elke bocht.

'Niet zo knijpen,' zegt Pietje.

Ze broemen door smalle steegjes en brede straten. Soms moet Pietje om een paar kamelen heen slalommen. En één keer knalt ze bijna een kraampje met kokosnoten omver. Iedereen staart hen na en sommige mensen zwaaien. Ze hebben zeker nog nooit twee prinsessen op een step gezien.

De lijfwacht stopt bij een statig gebouw met trappen.

'Pas jij op mijn stepje?' Pietje duwt het kleine stuur in zijn grote handen.

Priscilla wacht al op de bovenste tree. Ze voelt aan haar haren, strijkt haar jurk glad en controleert of er geen soep in haar ogen zit.

Een dikkig mannetje met een tulband bekijkt haar vanachter een pilaar.

'Kom mee,' fluistert Pietje. 'Er staat een vent naar je te loeren.' Ze duwt Priscilla voor zich uit de draaideur door.

De bibliotheek heeft marmeren vloeren en wel vijf zalen. In de laatste vinden ze Sergio. Aan een lange leestafel met lampjes erboven. Hij zit naast een grijze, gerimpelde man met een brilletje.

'Wat is hij knap, hè?' Priscilla's wimpers slaan op hol.

'Die ouwe professor?' zegt Pietje. Ze loopt naar Sergio en tikt hem op de schouder. 'Hoi.'

'Hé Pietje. Wat doe jij hier?' vraagt hij verbaasd.

'Ik heb je hulp nodig.' Ze sjort haar jurk al omhoog.

'Piet,' fluistert Priscilla.

Oepsie, iedereen gaapt haar aan. Pietje gaat gauw achter een boekenkast staan. Niemand mag zien wat ze tevoorschijn haalt.

Zo, klaar.

Ze gluurt om het hoekje. 'Pssst, hé Serg.'

Maar Sergio heeft ineens poep in zijn oren. Hij wijst Priscilla iets aan in een boek.

Chips! Pietje durft niet met de schatkaart aan tafel te gaan zitten. Die professor ziet vast meteen wat het is.

Ze staart naar de dikke boeken in de kast. Wat een oude troep, zeg! Ze vallen bijna uit elkaar van ellende. Uit eentje steekt zelfs een losse bladzijde.

Zal ik? denkt Pietje.

Dat boek is toch al kapot, antwoordt een stemmetje in haar hoofd.

Rats. Ze scheurt snel een stukje van de bladzijde en maakt er een propje van. Daarna rolt ze de schatkaart stevig op. Nu is het een blaaspijp. Richten, diep ademhalen en mikken! Pietje blaast de longen uit haar lijf.

Het propje landt precies tussen Sergio en Priscilla in.

Priscilla slaakt een gilletje. 'Wat was dat?'

Sergio kijkt om.

'Pssst, hiero,' sist Pietje.

En dan, eindelijk, snappen ze het.

Ze staan met zijn drieën achter de boekenkast.

'Waarom doe je zo geheimzi...' Sergio's blik valt op het boek met het úítstekende vel. 'Moet je daar zien!' roept hij geschokt. 'Een of andere idioot heeft er zomaar een stuk afgescheurd.'

'Ik ben geen idioot,' zegt Pietje verontwaardigd. 'Ik ben juist hartstikke slim. En dat boek was toch allang versleten. Ze mogen hier wel eens nieuwe kopen.'

Sergio hapt naar adem. 'Die oude boeken zijn juist heel kostbaar. In deze bibliotheek is een schat aan informatie te vinden.'

'Echt waar?' vraagt Priscilla onder de indruk.

'Pfff, ik weet een échte schat te liggen.' Pietje geeft de schatkaart aan Sergio.

Zodra hij hem heeft opengerold, ploppen zijn ogen zo ongeveer uit hun kassen. 'H-Hoe... w-waar?'

'Ik heb hem eerlijk gevonden,' zegt Pietje.

'Geleend.' Priscilla frunnikt aan haar oorbel.

'Van wie?' vraagt Sergio nieuwsgierig.

Pietje vertelt van het beeld en de afgebroken leeuwenpoot. 'Maar ik kan die rare tekens niet lezen,' zegt ze. 'Dus als jij nou even zegt wat daar staat.'

'Nou...' begint Sergio.

Priscilla slaakt een kreet. 'Piet.'

Nu ziet Pietje het ook. Het dikkige mannetje met de tulband staat vanachter de kast weer naar hen te loeren!

Priscilla wordt bleek. 'Zou hij het weten van de scha...'

'Sssst,' sist Pietje. 'We kunnen beter ergens anders verder praten.'

Ze rukt de schatkaart uit Sergio's vingers en stopt hem haastig onder haar jurk. Kan die griezel hem in elk geval niet zomaar pikken.

'En als hij achter ons aan komt?' vraagt Priscilla bezorgd.

'Ik verzin wel iets om hem af te leiden.' Sergio legt zijn hand op haar schouder. 'Dan kunnen jullie intussen veilig wegkomen met de je-weet-wel.'

Mijn held, zeggen Priscilla's ogen.

'Waar spreken we af?' vraagt Pietje.

Sergio geeft haar een sleutel. 'Sultanahotel, over vijf minuten. Ik logeer in kamer zeven.'

De schatkaart

De lijfwacht brengt hen naar het Sultana-hotel. Kamer zeven is op de eerste verdieping. Nou ja, kamer... Zeg maar kamertje. Zelfs onze wc's zijn groter, denkt Pietje. Er zijn een tafeltje en een stoel en een bed in gepropt. Sergio's rugzak ligt op het voeteneinde. Priscilla aait hem alsof het een poesje is.

Pietje zet het raam open en leunt over het kozijn. 'Daar komt-ie!'

Priscilla staat in één tel naast Pietje. Ze zien Sergio een winkeltje inschieten.

'Misschien gaat hij wel rozen voor je kopen, of bonbons,' zegt Pietje plagerig.

'Denk je?' Priscilla wordt zo rood als een kers.

Sergio heeft geen bloemen bij zich. Hij komt met alleen maar zijn koffertje de hotelkamer in. 'Zo, die gluurder zijn we kwijt.' Hij doet zijn rare geitenlachje. 'Ik heb zogenaamd per ongeluk een paar boeken op zijn voeten laten vallen. De eerste twee delen van de encyclopedie van Duizend-en-een-nacht. Die zijn lekker zwaar.'

Pietje inspecteert voor de zekerheid toch nog even de straat. 'Is hij je niet gevolgd?'

Sergio schudt zijn hoofd. 'Ik zei wel drie keer sorry, maar die kerel reageerde niet eens. Hij had alleen nog aandacht voor zijn zere tenen.'

Bij het woordje 'sorry' knikt Priscilla goedkeurend.

Sergio maakt zijn koffertje open. 'Ik heb overtrekpapier gekocht. Dan kunnen we de schatkaart overtrekken en de kopie gebruiken. De échte kaart verstoppen we op een veilige plek. Het is veel te link om daarmee rond te blijven lopen. Stel je voor dat je hem verliest of dat iemand hem steelt.'

Pietje mept Sergio op zijn schouder. 'Goed plan, man.'

Priscilla trekt de schatkaart keurig netjes over en geeft hem daarna aan Sergio. De nepkaart houdt ze zelf. Ze gaat als een secretaresse klaarzitten, met de pen in de aanslag.

Sergio bestudeert de vreemde tekens.

'En? En?' Pietje wipt van haar ene op haar andere voet.

Sergio leest de tekst van achteren naar voren. 'Zij die de stad bewaakt, bewaakt ook de schat.'

De godin van Duizend-en-een-nacht natuurlijk, denkt Pietje.

'Tussen haar klauwen vind je een gat,' vervolgt Sergio.

Priscilla schrijft de zin op de nepkaart.

Pietje peinst en peinst. Ze heeft twee godinnen gezien. Eentje in de zaal van de sultan en eentje... Ze kijkt uit het raam. 'Ik weet het!' roept ze. 'Ik weet waar de schat ligt!'

Priscilla schiet uit met haar pen. Sergio's mond valt wagenwijd open.

'Daar.' Pietje wijst naar de berg die hoog boven de huizen uittorent. 'Zie je de godin die uit de rotsen is gehakt? Ze kijkt over de hele stad uit.'

'Alsof ze hem bewaakt,' zegt Sergio hees.

'En tussen haar klauwen begint natuurlijk

een geheime gang.' Pietje kan niet meer stilstaan. 'Als we daarlangs naar binnen gaan, vinden we de schat. Wedden?'

Priscilla rilt. 'In zo'n tunnel is het hartstikke donker.'

'Nemen we toch zaklampen mee,' zegt Pietje.

'En als we verdwalen?' houdt Priscilla vol.

Pietje maakt snuivende geluiden.

'Priscilla heeft wel een beetje gelijk.' Sergio krabt in zijn haar. 'Er zijn al heel wat mannen de berg ingegaan en nooit meer teruggekomen.'

Pietje slaat haar armen over elkaar. 'Maar die hadden geen schatkaart en wij wel!'

'Tja.' Sergio frummelt aan zijn oor. 'Ik wil niet mee, hoor, Piet.' De stem van Priscilla trilt.

'Ik wel.' Sergio slaat zijn armen over elkaar. 'Er moet toch iemand op Pietje passen.'

'Hoempf,' zegt Pietje. 'Je bedoelt dat ik op jou moet passen.'

Sergio grijnst. 'Jij bent dus echt de stoerste prinses die ik ooit heb ontmoet.'
Priscilla kijkt stinkend jaloers. Ze klemt haar vingers om de rugleuning van de stoel. Ze tuurt naar haar schone nagels. 'Ik denk dat ik toch maar meega,' zegt ze.

Een dik uur later heeft Sergio de schatkaart helemaal voorgelezen en Priscilla alle rijmpjes op de nepkaart geschreven. In hun eigen taal.
Pietje stopt beide kaarten onder haar jurk.
'Dus jij zorgt voor de spullen,' zegt ze tegen Sergio.
Ze hebben met z'n drieën een boodschappenlijstje gemaakt.
Sergio knikt. 'Ik wacht jullie vannacht achter de muur van de paleistuin op.'
Vannacht, denkt Pietje. Ze kan haast niet wachten tot het zover is!

Voetstappen

De lijfwacht brengt hen terug naar het paleis.
'Laat je ons de paleistuin nog even zien?'
vraagt Pietje.
'Alstublieft,' zegt Priscilla.
Ze parkeren hun stepje en lopen achter de
lijfwacht aan. Pietje prent de route goed in haar
hoofd. Vannacht mogen ze niet verdwalen!
De tuin is helemaal ommuurd. Bij de grote
poort staan wachters, maar Pietje ontdekt een
kleiner poortje achter de struiken. Het is over-
woekerd door klimplanten.
Ik hoop dat het niet op slot zit! denkt Pietje.
Ze durft het niet te proberen met de lijfwacht erbij.

Ze zijn net op tijd terug voor het avondeten.
De koningin legt een servet op haar schoot.
'Wat bleven jullie lang weg.'
'Het was een héééél grote bieb,' zegt Pietje.

'En nu zijn we hartstikke moe. Dus we gaan vroeg naar bed, hè Pris?'

'Hmmm,' antwoordt Priscilla met een afwezige blik.

De koningin kijkt haar aan. 'Je zit nu al te dromen.'

Over Sergio, gokt Pietje. Want Priscilla tekent met haar vork hartjes op het tafelkleed.

Na het toetje van vijgen met slagroom gaan de prinsessen naar hun kamer.

Pietje bestudeert de nepkaart. Ook al kan ze de rijmpjes nu lezen, het blijft abracadabra.

Priscilla legt allerlei spulletjes op het bed. Lippenstift, een nagelvijl, schoon ondergoed.

Pietje trekt haar wenkbrauwen op. 'We gaan schatgraven, hoor. Niet naar een schoonheidswedstrijd.'

'Het is toch niet verboden om er leuk uit te zien?' vraagt Priscilla snibbig.

'Het is pikdonker in die tunnel. Sergio kán je niet eens zien.' Pietje grijnst. 'Hoogstens ruiken.'

Priscilla spuit meteen een wolk parfum in haar hals. 'Heb je de schatkaart nou al verstopt?'

Pietje knikt. 'Op een heel goed plekje.'

Priscilla laat zich op het bed zakken. 'Moeten we het toch niet aan papa en mama vertellen?'

'En drie weken huisarrest krijgen?' roept Pietje verschrikt.

Priscilla zucht. 'Maar ze worden vast heel ongerust.'

'Ik schrijf wel een briefje.' Pietje zet de wekker op tien voor twaalf.

Trrrrrr!

Even weet Pietje niet waar ze is. Tot ze Priscilla hoort kreunen.

Oh ja, de schat! Meteen is ze klaarwakker en ze springt uit het hemelbed. Ze zet de wekker af en knipt het lampje op het nachtkastje aan.

'Niet doen,' mompelt Priscilla.

'Sergio,' zegt Pietje.

Het werkt als een toverspreuk. Binnen een paar minuten heeft Priscilla haar schoenen aangedaan én haar haren gekamd én haar tasje gepakt. Pietje draagt de nepkaart.

'Briefje,' fluistert Priscilla.

Pietje legt het op het bed.

Lieve pap en mam,
  Voor het geval we morgenochtend nog niet terug zijn:
  Maak je niet ongerust. We gaan de schat van Duizend-en-een-nacht opgraven. Als we terugkomen, zijn we ~~rijk~~ nog rijker.
  Heel veel groetjes en kusjes,
  Priscilla en Pietje

Ze glippen de gang op. Het paleis is verlaten en stil. Het lijkt alsof zelfs de wachters slapen, net als in het kasteel van Doornroosje.

Linksaf, rechtsaf. Voorbij de eetzaal.

Maar dan...

Ze horen voetstappen! Klak, klak, klak. Steeds harder.

Priscilla wordt bleek. 'Ze komen deze kant op.'

Verstoppen! denkt Pietje. Maar waar?

Haar ogen flitsen door de kale gang.

De deur van de eetzaal! Ze duwt hem open. 'Pris, hierheen!'

Ze stommelen het donker in. Het enige licht komt van de maan, die naar binnen schijnt.

Pietje graait naar Priscilla's hand en sleurt haar mee naar het raam. De dikke gordijnen hangen tot op de grond. Er passen precies twee prinsessen achter.

Vlug vlug! Pietje schuift de gordijnen dicht. Net op tijd!

Klak, klak, klak. Iemand loopt de kamer in.

Pietje kan haar hart horen bonken. Of is het dat van Priscilla?

De kroonluchter ploept aan.

Pietje gluurt door de spleet tussen de gordijnen. Het is een wachter! En hij ziet er behoorlijk uitgeslapen uit. Met zijn sabel in de aanslag speurt hij de eetzaal af.

Oh, had ik de deur maar dichtgedaan! denkt Pietje. Dan was hij er vast gewoon voorbijgelopen. Ze durft bijna niet meer te ademen. Als de wachter hen ontdekt, kunnen ze de schat wel vergeten.

Klak, klak. Hij loopt een rondje om de tafel. Hij kijkt er zelfs onder!

Als hij maar niet achter de gordijnen kijkt! Pietje probeert zichzelf onzichtbaar te denken. Ga weg, ga weg, ga wèèèèèg! Ze kan het wel uitschreeuwen.

De wachter mompelt iets. Hij wrijft over zijn kin.

Klak, klak. Het licht gaat uit en de deur slaat dicht. Klak, klak. De voetstappen worden zachter en zachter.

En dan zijn ze weg.

Pietje en Priscilla zwijgen en trillen en wachten. Vijf minuten. Tien minuten.

'Ik geloof niet dat hij terugkomt,' fluistert Pietje.

Ze komen achter de gordijnen vandaan.

'Ik dacht dat ik erin bleef,' zegt Priscilla.

Pietje zet de deur op een kier en inspecteert de gang. 'Pfff, de kust is weer veilig.'

Ze proberen sluipend te rennen. Gelukkig komen ze geen wachters meer tegen. En wonder boven wonder zit het poortje in de paleismuur niet op slot.

Het komt uit op een steegje.

'Eindelijk.' Sergio stapt uit de schaduw. 'Ik dacht al dat jullie niet meer durfden.'

'Echt wel,' zegt Pietje.

Ze staren naar de berg. Hij lijkt nog groter en hoger dan overdag.

'Wel een eind klimmen,' mompelt Priscilla.

'Ik heb twee kamelen gehuurd.' Sergio gebaart met zijn zaklamp. 'Ze staan om de hoek.'

'Echte kamelen?' Pietje slaakt een oerwoudkreet.

Doolhof

Pietje laat haar kameel knielen en klautert tussen zijn bulten.

Sergio haalt een tweede zaklamp uit zijn rugzak. 'Gebruik deze maar als achterlicht.' Daarna gaat hij op de andere kameel zitten en hijst Priscilla op zijn schoot. Zodra hij met zijn tong klakt, komen de dieren overeind.

'Hie-ha!' roept Pietje enthousiast. Ze voelt zich net een circusartiest.

'Wat zijn ze hoog,' zegt Priscilla angstig.

'Maak je niet druk.' Sergio lacht geitig. 'Ik heb je stevig vast.'

Wiegend rijden ze door de straten naar de voet van de berg. Tegen de rotsen zijn struiken geplakt en daartussen slingert een pad omhoog. Dat slaan ze in.

'Gaat-ie?' vraagt Pietje.

'Prima, dank je.' Priscilla's stem klinkt als een klokje.

Verliefdheid werkt zelfs tegen kamelenziekte, denkt Pietje.

Ze stijgen gestaag. De stad wordt kleiner en de godin van Duizend-en-een-nacht steeds groter. Wat is het hier donker en stil. Pietje krijgt ineens het akelige gevoel dat iemand haar bespiedt. Gespannen schijnt ze met de zaklamp om zich heen...

Niemand natuurlijk.

Opgelucht begint ze te zingen. 'En ze komt op twee kamelen als ze komt, hobbel hobbel.'

Na een poosje stopt het pad abrupt.

'Afstappen,' zegt Sergio.

Pietje hangt een veldfles met water aan een band om haar schouder. Sergio draagt de rugzak en Priscilla haar eigen tasje.

'Tot straks,' zegt Pietje tegen de kamelen.

Achter de bosjes, tegen de bergwand, vinden ze een richel.

'Moeten we daar overheen?' Nu wordt Priscilla toch nog groenig.

Sergio haalt een touw uit zijn rugzak. 'Bind dit maar om je middel.' Het andere uiteinde knoopt hij rond zijn eigen heupen.

Pietje haalt diep adem en zet haar voet op de smalle rand. Niet naar beneden kijken, denkt ze. Ze drukt zich zo dicht mogelijk tegen de rotsen aan.

Achter zich hoort ze de kalme stem van Sergio. 'Goed zo, rustig maar.'

Maar Priscilla is niet bepaald rustig. 'Oeps,' zegt ze wel honderd keer. En 'Oh jee' en 'Ik vál!'

Zo schuifelen ze naar de godin van Duizend-en-een-nacht. Nog drie stappen, nog twee. Pietje laat een lichtstraal langs de reusachtige leeuwenklauwen flitsen. Ja! Daartussen is een donker gat.

'De ingang!' roept ze blij.

Ze tilt haar jurk op en trekt de nepkaart uit het elastiek van haar onderbroekje. Haar hart bonst van opwinding. Nu gaat het echt beginnen!

Ze lopen door de donkere tunnel. Het is er koel en bedompt en het ruikt naar een oude kelder.

'Als er maar geen spinnen zitten,' fluistert Priscilla.

'Welnee, joh,' zegt Pietje. 'Maak je niet druk, het gaat super!'

Maar dan staan ze ineens voor een muur met drie deuren erin.

Sergio maakt er eentje open en schijnt met zijn zaklamp naar binnen. 'Het is een doolhof.'

Pietje leest het rijmpje op de kaart voor: 'Vind het juiste pad, dan kom je dichter bij de schat.'

Ze krabt in haar stekelhaar. 'Lekkere opdracht, zeg. Op de kaart is alleen een vierkantje getekend. Geen gangen. Hoe weten we nou wat het goede pad is?'

Priscilla rilt. 'Dus daarom kwamen die mannen nooit terug.'

'We hebben een krijtje nodig!' bedenkt Pietje. 'Als we pijlen zetten, kunnen we niet verdwalen.'

Sergio schudt zijn hoofd. 'Krijt stond niet op het boodschappenlijstje.'

Priscilla rommelt in haar tasje. 'Maar ik heb wel lippenstift!'

Ze nemen de gang achter de middelste deur.

Pietje zet een rode pijl op de muur. 'Linksaf of rechtsaf?' vraagt ze.

'Rechtsaf,' kiest Sergio.

Hup, weer een pijl.

Ze dwalen uren door de doolhof. De gang loopt telkens dood en dan moeten ze weer terug. Priscilla's lippenstift raakt op. Gelukkig heeft ze altijd een reserve bij zich.

'Sorry hoor, maar kunnen we het niet beter opgeven?' vraagt ze.

Opgeven? denkt Pietje. Nooit!

Ze slaat een nieuwe gang in. Aan het einde is een poortje...

Pietje juicht. 'Volgens mij zitten we goed!'

'Stil eens.' Sergio houdt zijn hoofd scheef. 'Ik hoor iets.'

Nu hoort Pietje het ook. Het lijkt alsof er uit de verte iets aan komt rollen.

'De tunnel stort in!' Priscilla klemt zich aan Sergio's arm vast.

Het geluid klinkt harder en harder. Pietje draait zich om. In het licht van de zaklamp ziet ze iets... iets... Het lijkt nog het meest op een gigantische voetbal, maar dan van steen. En hij komt recht op hen af!

'Rennen!' schreeuwt ze.

Sergio sleurt Priscilla mee. Pietje holt tot haar longen bijna klappen. Opschieten, opschieten! De bal zit hen op de hielen. Het lijkt wel alsof hij steeds sneller gaat.

We worden geplet! denkt Pietje.

'Kan niet meer,' hijgt Priscilla.

Pietje pakt de arm van haar zus vast. Samen met Sergio sleept ze Priscilla onder het poortje door. Lopen, lopen, lopen.

Baf!

En dan is het doodstil.

Tot Priscilla begint te huilen. 'Ik wil naar hui-uis.'

Pietje kijkt naar de bal. Hij zit klem in het poortje.

'We kunnen niet meer terug,' zegt ze met een prop in haar keel. 'De weg is versperd.'

Sssssss...

'Boe-hoe-hoe!' huilt Priscilla.

'Kop op, joh.' Pietje laat haar de kaart zien.
'Kijk, er is nóg een uitweg.'

Sergio knikt. 'Maar dan moeten we eerst langs de schat.'

Het helpt geen zier. Priscilla blijft snikken.

'Je mascara loopt uit,' zegt Pietje.

Dat werkt wel. Priscilla boent haar wangen schoon en snift nog even na. Sergio geeft haar een zakdoek, zodat ze haar neus kan snuiten.

Pietje zet de pas er weer in. 'Een, twee, in de maat. Anders wordt de juffrouw kwaad.'

Na een poos komen ze bij een wand waarop een oog is getekend. Precies zo'n oog als op de kaart.

Pietje leest de opdracht weer voor: 'Kijk goed uit je doppen, bezweer de sissende koppen.'

Zwijgend turen ze om zich heen.

Ssssss! klinkt het ineens.

'Sissende koppen,' zegt Priscilla met een bibberstem.

'Het komt daar vandaan.' Sergio wijst omhoog.

Pietje richt haar lamp op het plafond. Wat een gatenkaas, zeg! Er zitten wel honderd holletjes in.

Sssss...

Uit een van de holletjes glijdt een lang dun ding. Het valt met een plof op de vloer.

'H-Het be-beweegt,' stamelt Priscilla.

Plof, plof.

'Slangen,' zegt Sergio schor. 'Het regent slangen uit het plafond.'

Het ploffen gaat nog een poosje door. Dan ligt er een tapijt van wriemelende lijven voor hen op de grond. Om bij de schat te komen, moeten ze eroverheen.

Hoe bezweer je een slang? denkt Pietje wanhopig.

Ze kiest er eentje uit en tuurt hem diep in zijn ogen.

Rot op! probeert ze hem te hypnotiseren. Rot op! Rot op!

Maar het dier slaat niet op de vlucht. Hij staart ijskoud terug.

'Iemand een beter idee?' vraagt Pietje. 'Serg, jij leest toch zo veel boeken? Stond daar niets in?'

'Je kunt slangen met een fluit bezweren,' antwoordt hij benepen. 'Maar die hebben we niet bij ons.'

Misschien gaat het ook wel zonder, hoopt Pietje, en ze tuit haar lippen. 'Fuuuut!'

De slangen kronkelen alleen maar harder. De allergrootste maakt zich los uit het slangentapijt en glijdt zelfs op hen af!

'Blijf,' zegt Pietje.

Maar de grote slang komt juist dichterbij. Hij is blijkbaar de baas van het stel. De andere dieren komen meteen achter hem aan.

'Shit,' mompelt Sergio. 'Polonaise.'

Sssss... De tong van de opperslang flitst vervaarlijk op en neer.

Meteen laten de andere dieren ook hun tong zien.

'Doe iets,' fluistert Priscilla. 'Alsjeblieft.'

Ja, maar wat? Pietje pijnigt haar hersens.

De slang op zijn kop timmeren met haar zaklamp?

Nee, dat lukt nooit. Hij kronkelt te erg.

Zijn lange lijf in de knoop leggen!

Maar dan moet ze hem vastpakken en ze krijgt al kippenvel bij het idee.

En dan, ineens, weet ze het.

'Je tasje, Pris!' roept ze. 'Geef me je tasje aan!'

Maar de opperslang richt zijn bovenlijf op en Priscilla verstart.

Pietje aarzelt geen seconde. Ze klemt haar zaklamp onder haar oksel. Nu heeft ze haar handen vrij om het tasje te pakken. Heel voorzichtig schuift ze het van Priscilla's arm.

'Pietje,' zegt Sergio dringend.

Ze kijkt naar de slangen. Ze staan nu alle-máál dreigend rechtop. Als soldaten in het ge-lid, klaar voor de aanval.

Niet op letten. Tasje openmaken...

Yes! Het parfumflesje! Ze rukt de dop eraf en richt het flesje naar de slangenkop. Psssjt. Ze spuit recht in zijn gemene oogjes.

De opperslang houdt niet van prikkende parfum. Hij deinst terug en de andere dieren ook.

'Jaaa!' roept Pietje.

Maar dan duikt de opperslang weer naar voren. En die vijftig anderen...

Pietje laat het flesje vallen. Opnieuw graait ze in het tasje, tot ze een onderbroek met bloe-metjes vindt. Ze houdt hem als een parachute boven de kop van de opperslang. Loslaten...

Raak!

De onderbroek is net een te grote muts. De opperslang ziet niets meer en zwiept zijn kop woest heen en weer. De andere dieren kijken verward toe.

Sergio en de prinsessen lopen langzaam achteruit. Tot ze met hun rug tegen de muur staan.

'Au!' roept Priscilla. Het lijkt alsof een onzichtbare hand haar naar voren duwt.

Pietje kijkt opzij. Uit de muur is een laatje geschoven. Er ligt een rood kussentje in, met een zilveren fluit erop.

Daarmee kan ze de slangen bezweren!

'Hou vast.' Pietje geeft haar zaklamp en het tasje aan Priscilla.

Dan tilt ze de fluit uit het laatje en zet hem aan haar mond. Ze legt haar zweterige vingers over de gaatjes.

Sergio kijkt angstig naar de opperslang. 'Vlug, Pietje. Hij heeft zich bevrijd.'

Maar Pietje is alle liedjes vergeten, die ze met blokfluitles heeft geleerd. Ze kan alleen aan slangen denken...

Tuurlijk! Ik zag twee slangen de was ophangen, dat gaat ze spelen!

Ze blaast op de fluit en zingt in gedachten

mee: oh, dat was een wonder! 't Was een wonder, bovenwonder, dat die slangen hangen konden.

Eerst klinkt het nog wat bibberig, maar dan worden de tonen helder en scherp. De opperslang tilt als eerste zijn kop op en staart gehypnotiseerd naar het oog op de muur. De andere dieren apen hem na.

En dan gebeurt er echt een bovenwonder! De slangen worden als een magneet naar het oog toe getrokken. In file glibberen ze omhoog, naar de pupil. In de zwarte stip blijkt een gat te zitten. De opperslang floept er doorheen, en daarna zijn broertjes en zusjes.

Pietje fluit en fluit. Tot de laatste slang door het oog is verdwenen.

Hihihi, hahaha, ik stond erbij en ik keek ernáááááár!

De waterval

Ze lopen door smalle, brede, hoge, lage, rechte en kronkelige tunnels.

'Het lijkt de avondvierdaagse wel,' zegt Pietje.

Sergio kijkt op zijn horloge. 'Ontbijtje?'

Pietje knikt. 'Ik kan wel een hele kameel op.'

Ze gaan tegen de muur zitten. Priscilla doet haar linkerschoen uit. Op haar hiel zit een grote blaar.

Sergio haalt pleisters uit zijn rugzak en plakt er eentje op Priscilla's voet.

'Bedankt.' Ze zegt het op een manier alsof hij zojuist haar leven heeft gered.

Pietje pelt de boterhammen uit de folie en deelt ze uit.

Priscilla schudt haar hoofd. 'Je weet toch dat ik nooit ontbijt?'

'Je moet wat eten.' Sergio kijkt haar streng aan. 'Anders hou je het niet vol.'

Meteen neemt Priscilla braaf een hap.

Hoe doet hij dat? denkt Pietje verbijsterd.

Na een kwartier is het brood op en de veldfles halfleeg.

'Ik moet plassen,' zegt Pietje.

Priscilla frunnikt aan haar jurk. 'Ik ook, maar...eh.'

'Ik loop vast door.' Sergio doet zijn rugzak om. 'Dan wacht ik verderop op jullie.'

Priscilla staart hem na, tot er alleen nog een zwak schijnsel te zien is.

'Hij heeft net zulke goede manieren als een prins,' fluistert ze.

Ze hebben Sergio weer ingehaald. Hun schoenen klinken hol op de vloer.

'Waar blijft die waterval nou?' moppert Pietje met een blik op de kaart.

Priscilla steekt haar vinger op. 'Volgens mij hoor ik hem al.'

Ze zwijgen en luisteren.

Inderdaad. Vanuit de buik van de berg klinkt gegrom.

Ze lopen stevig door, op het geluid af.

Het gegrom wordt gebulder. Er vallen druppels van het plafond.

'Het regent, het regent,' zingt Pietje.

De kaart wordt nat en de letters lopen een beetje uit.

Gelukkig kan Pietje het rijmpje nog lezen. 'Na regen komt zonneschijn. De schat ligt achter het watergordijn!' Ze moet hard praten om boven het lawaai uit te komen.

Sergio klakt met zijn tong. 'Nog even en we zijn miljonair.'

'Ik ben benieuwd wat voor schat het is,' zegt Pietje, terwijl ze de kaart weer opbergt.

'Goudstukken natuurlijk.' Sergio krijgt een koortsachtige gloed in zijn ogen.

'Of kostbare sieraden!' roept Priscilla.

Ze slaan de bocht om en...

'Oh!' roept Pietje.

Ze staan in een grot met het formaat van een balzaal. Aan het plafond hangen sierlijke pegels in allerlei kleuren.

'Stalactieten,' zegt schooljuf Priscilla.

Uit de gladde, hoge rotswand klettert een gordijn van water omlaag.

EN DAARACHTER LIGT DE SCHAT TE WACHTEN!

Pietje volgt de kolkende massa met haar lamp. De waterval komt uit in een donker onderaards meer. Ze kunnen er niet omheen. De rotsen zijn te glibberig en te steil.

'Dat wordt zwemmen.' Sergio lacht als een zenuwachtige geit.

Priscilla voelt aan het water. 'Het is ijskoud. We vriezen vast dood.'

Pietje kan wel janken. Net nu ze zo dichtbij zijn!

Dan valt haar oog op een donkere vlek achter de rotsen.

'We hoeven niet te zwemmen!' gilt ze. 'Daar ligt een bootje.'

Raadsels

'Wie er het eerste is!' roept Pietje.

Uitgelaten rennen ze met z'n drieën naar beneden.

Pietje tikt als eerste de boot aan. 'Instappen...'

'Hootjes!' klinkt een stem.

Pietje schrikt zich een aap. Er zit iemand in de boot!

Ze zoekt met haar lamp.

Ja, daar. Op het achterste bankje zit een klein, kaal mannetje. Hij verdrinkt zo ongeveer in zijn zwarte cape. En wat heeft hij een flaporen, zeg!

'Het spijt ons zeer,' zegt Priscilla. 'We hadden u niet gezien.'

Het mannetje gebaart met zijn korte armpjes. 'Ik ben de dwerg van de berg en dit is mijn bootje.'

Sergio klopt op het hout. 'Mooi ding.'

Pietje knikt. 'Geef je ons een lift?'

De dwerg zucht. 'Ik zou niets liever willen, meisje. Maar zo simpel is het niet.'

'Hoezo niet?' vraagt Pietje. 'Gewoon instappen en wegvaren.'

'Kan niet. Mag niet.' De dwerg ziet er ineens heel moe uit. 'Ik ben hier in opdracht van de godin van Duizend-en-een-nacht. Al duizend jaar.'

'Duizend jaar al!' roept Priscilla verbaasd. 'Maar u heeft helemaal nog geen rimpels!'

'Toverspreuk van de godin.' De dwerg laat zijn schoudertjes hangen. 'Ik moet hier wachten tot ik een ons weeg. Tot er iemand komt die de betovering verbreekt en mij bevrijdt.'

Lekkere tante, die godin! Pietje zet haar handen in haar zij. 'Zeg maar wat we moeten doen.'

'Zijn jullie goed in raadseltjes?' vraagt de dwerg hoopvol. 'De godin was er dol op. Ze heeft er drie bedacht die jullie moeten oplossen. Dan pas mag ik jullie overzetten en ben ik vrij.'

'Kom maar op,' zegt Pietje stoer.

'Goed dan.' De dwerg schraapt zijn keel. 'Vraag één.' Zijn stem wordt heel plechtig. 'Het zit in de berg, maar niet in de schat. Het zit in dit meer, maar niet in een bad. Het zit in regen, maar niet in zonneschijn. Wat kan dat zijn?'

Water! denkt Pietje. Dat zit in deze berg, in het meer en in regen.

Maar ook in een bad kan water zitten... Nee, dat is het dus niet.

Fjoew, dit is nog moeilijker dan een proefwerk. En ze kan niet eens afkijken.

De dwerg peutert zenuwachtig in zijn linkeroor. Sergio tuurt naar het plafond, alsof daar het antwoord geschreven staat. Priscilla humt in zichzelf en knikt.

'Ik weet het,' zegt ze.

Hè? Pietje staart haar ongelovig aan.

'Het is de letter r.' Priscilla straalt.

Berg, meer, regen. 'Het klopt!' roept Pietje. 'Het klopt, hè?'

De dwerg wipt blij met zijn voetjes. 'Als een bus.'

'Wat knap,' zegt Sergio vol bewondering.

'Bedankt.' Priscilla's glimlach is van suiker.

'Maar we zijn er nog niet.' De dwerg is ineens weer serieus. 'Raadsel twee is een lastige.'

Pietje houdt haar handen achter haar rug en duimt. Het moet lukken!

'Het draagt een puntmuts...' begint de dwerg.

Makkie, denkt Pietje. Een kabouter natuurlijk!

Maar dan zegt de dwerg: '...en toch is het niet klein. Om het te vinden, moet je niet in de berg maar in de stad zijn.'

Chips. Pietje kijkt vol verwachting naar Priscilla.

Die fronst haar voorhoofd. 'Ik heb tulbanden gezien. Geen puntmutsen.'

Het is heel lang stil. Alleen de waterval klettert maar door.

De dwerg wringt zijn handjes in elkaar. Hij kijkt steeds sipper.

Sergio zet zijn hoed af en wrijft door zijn haar. 'Ik krijg een punthóófd van die raadsels.'

Pietje bijt op haar nagel. Denk, denk!

Ze stelt zich voor dat ze weer in de stad rijdt. Op haar stepje.

Wat heeft ze ook weer allemaal gezien? Kamelen en kokosnoten. Kraampjes en manden met meloenen. Winkeltjes. De bibliotheek. Een fakir op een spijkerbed. Spijkers zijn pun-

tig! Maar niet groot. Een olifant is groot. En het paleis van de sultan met al die torentjes, dat is helemaal...

TORENTJES!

Pietjes hersens maken kortsluiting.

'Het is een toren!' roept ze. 'Die is niet klein maar groot. Het stikt van de torens in de stad. En ze hebben puntige daken. Net puntmutsen!'

'Okeetjes. Helemaal goed.' De dwerg klapt in zijn handjes. Zijn oren flapperen van opwinding. 'Maar nu het laatste raadsel.'

Pietje begint meteen weer te duimen. Daarnet hielp het ook, dus...

'Het klinkt heel lief en het flonkert,' zegt de dwerg. 'En het is van een optelsom in het donker.'

Ai! Rekenen is niet Pietjes sterkste kant.

'Het klinkt heel lief,' herhaalt Priscilla.

Sergio mompelt: 'Lieverd, snoesje, poesje.'

Priscilla kijkt met hartjes in haar ogen naar Sergio. 'Engel, snoepje, beertje.'

Gatver, denkt Pietje. Straks gaan ze nog zoenen!

'Scheetje, schatje...' zegt Sergio.

De schat! Het klinkt heel lief en het flonkert. Pietje ziet een kist voor zich met fonkelende diamanten en blinkende munten en...

Het gaat dus over de schat.

Maar wat heeft die optelsom ermee te maken? En in het donker?

Hoe kun je donker nog meer noemen?

Zwart, schaduw, NACHT...

DE SCHAT VAN DUIZEND-EN-EEN-NACHT!

Duizend én één, dat is een optelsom. Pietje kan niet meer stilstaan. Ze gooit haar armen in de lucht.

'We hebben gewonnen!' roept ze. 'Het is de schat van Duizend-en-een-nacht!'

De ogen van de dwerg staan waterig. 'I-Ik ben vrij,' stamelt hij. 'Na duizend jaar ben ik eindelijk vrij.'

Glazen muiltjes

Ze zitten met z'n allen in het bootje. Prrrrt. De motor pruttelt als een koffiezetapparaat.

'Berend Botje ging uit varen...' zingt Pietje.

Ze blijven zo dicht mogelijk bij de rand van het meer. Uit het water steken rotspunten als haaienvinnen omhoog. De dwerg stuurt er behendig tussendoor.

De waterval komt steeds dichter- en dichterbij.

Het geraas wordt nu helemáál oorverdovend. Druppels spetteren op hun armen en hoofden.

Priscilla krimpt in elkaar. Sergio houdt de rugzak als een afdak boven zijn hoofd.

Jemig, wat wiebelt het bootje! Pietje klemt haar vingers om het bankje en zet zich schrap.

Het flitst door haar heen: straks verzuipen we nog.

Maar dan maakt het bootje ineens een

zwieper naar rechts. Ze varen niet dóór de waterval, maar eromheen. Huppekee, een zwiep naar links. Nu zijn ze áchter het watergordijn. Slimme dwerg! denkt Pietje.

In de rotswand achter de waterval is een tunnel. Ze koersen erop af.

'Bukken,' waarschuwt de dwerg. 'Hij is nogal laag.'

Ze duiken in elkaar en schieten het pikdonker in.

Oef, wat een konijnenhol! Pietje durft zich niet meer te verroeren. Haar stekeltjesharen strijken langs het plafond.

'Duurt het nog lang, meneer dwerg?' piept Priscilla.

'Minuutje,' antwoordt hij met zijn hoge stem.

Het lijkt eerder een eeuw. Pietje krijgt kramp van het opgevouwen zitten. De tunnel is net een oventje. Het is zo warm dat ze bijna geen adem meer kan halen. Rustig blijven! Tot tien tellen. Eén, twee...

Ik stik, denkt ze bij drie.

Maar dan roept de dwerg: 'Okeetjes, we zijn er doorheen.'

Opgelucht veert Pietje omhoog. Priscilla en Sergio gaan ook rechtop zitten. Ze rekken zich uit en wapperen met hun armen tot het bloed weer gaat stromen.

Pietje schijnt om zich heen. Ze zijn in een kleine grot en varen naar de kant.

De dwerg meert aan. 'Uitstappen.'

Pietje klautert op de oever. Sergio helpt Priscilla uit het bootje. De dwerg blijft als enige zitten.

'Ga je niet mee?' vraagt Pietje.

De dwerg schudt zijn hoofd. 'De berg is mijn huis. Ik ben gelukkiger onder de grond.'

Hij glimlacht van oor tot oor. 'En voortaan kan ik gaan en staan waar ik wil. Dankzij jullie!' Hij steekt zijn arm op en – prrrrt! – dan vaart hij weg.

Ze roepen en zwaaien tot hij uit het zicht is verdwenen.

'En nu op jacht naar de schat,' zegt Pietje.

Ze speuren overal rond. Ze kijken naar beneden, naar opzij en naar boven. Ze zoeken achter rotsblokken en in donkere nissen, maar nergens vinden ze een kist.

'Hij móét hier liggen,' foetert Pietje.

'Misschien hebben ze hem begraven,' bedenkt Priscilla.

'Ja hoor.' Pietje tikt met haar hak op de keiharde vloer. 'Met een schep zeker?'

'Het is vast een misselijke grap.' Sergio's gezicht staat op zeven dagen onweer. 'Iemand heeft voor de lol die kaart getekend en wij waren zo stom...' Boos schopt hij tegen een steen. 'Au!'

'Heb je je pijn gedaan?' vraagt Priscilla bezorgd.

Sergio geeft geen antwoord. Hij staart naar het plekje waar de steen net nog lag. En dan, ineens, laat hij zich als een zandzak neerploffen.

Priscilla schrikt. 'Hij wordt niet goed.'

Maar Sergio is niet flauwgevallen. Hij veegt woest met zijn mouw over de vloer.

En dan ziet Pietje waarom hij dat doet. Onder de korrelige stoflaag blinkt goud! Vlug gaat ze op haar knieën naast Sergio zitten en helpt mee. Ze gebruikt haar jurk als stofdoek.

'Straks zie je eruit als Assepoester,' zegt Priscilla afkeurend.

Sergio en Pietje trekken zich er niets van aan. Ze wrijven en poetsen tot er een goudkleurige cirkel verschijnt.

'Rarara, wie heeft de bal, die mooie bal van goud?' zingt Pietje.

'Sorry, hoor,' zegt Priscilla. 'Maar volgens mij is het een zon.'

Sergio knikt. 'Na regen komt zonneschijn, dat stond in het rijm.'

Pietje glijdt met haar vingers over de cirkel. 'Er zit een kuiltje in.' Ze duwt haar hand naar binnen. 'Wat gek. Het voelt als de binnenkant van een schoen.'

Sergio houdt zijn lamp dichterbij. 'Glazen muiltjes,' zegt hij verbaasd. 'Iemand heeft twee glazen muiltjes in de rotsbodem gegoten.'

'Wat zonde,' zegt Priscilla.

En waarom? Pietje krabt in haar stekeltjeshaar. Ze kan maar één ding bedenken.

'Probeer eens of ze passen,' zegt ze met een knikje naar Priscilla.

Priscilla doet haar eigen schoenen uit. Ze tilt haar jurk een stukje op en laat haar voeten voorzichtig in de glazen muiltjes glijden.

'Het is precies mijn maa...'

Krrrrrr!

Pietje gelooft haar ogen niet. De bergwand scheurt open!

'Net als in het sprookje van Ali Baba.' Sergio staat op en loopt als een slaapwandelaar naar het gat.

Pietje wenkt met haar lamp. 'Kom mee, Pris.'

Maar zodra Priscilla uit de muiltjes stapt, begint de wand weer dicht te schuiven!

'Vlug!' schreeuwt Sergio.

Ze rennen zo hard ze kunnen. De opening is nog maar een meter breed. Pietje glipt er doorheen, en daarna Priscilla.

'Dat was op het nippertje,' zegt Sergio.

Priscilla kijkt om. 'Mijn schoenen!' roept ze en ze holt weer terug.

'Wat doe je nou, gek?' gilt Pietje.

Het bloed gonst in haar oren. Dadelijk gaat de bergwand dicht en staat Priscilla aan de verkeerde kant!

Wanhopig springt Pietje tussen de schuivende muren en probeert ze weer open te duwen.

Het lukt niet. Ze wordt bijna als een sinaasappel uitgeperst en moet wel achteruit springen.

Daar komt Priscilla aangespurt. In haar ene hand draagt ze haar schoenen, in haar andere haar tasje.

Ze past er nooit meer doorheen! denkt Pietje.

Maar Priscilla is zo dun als een soepstengel. Ze heeft aan dertig centimeter genoeg. Ze wurmt zich naar binnen en...

BAM! De bergwand is dicht.

'Mijn tasje.' Priscilla staart verbouwereerd naar haar lege linkerhand.

'Je hebt geluk dat je al je vingers nog hebt,' zegt Pietje blij en boos tegelijk.

Dan pas begint Priscilla van top tot teen te trillen.

Sergio neemt haar schoenen over. 'Ik help je wel met aantrekken.'

Hoempf, denkt Pietje. Hij had mij daarnet ook wel eens mogen helpen.

Nijdig draait ze zich om.

Haar hart maakt een driedubbele salto.

Ze ziet een brug. Hij hangt over een kloof. En aan de overkant van die kloof STAAT EEN KIST!

Zwabberkont

De kloof staat vol water. Er drijven een heleboel boomstammen in.

'Wat gek,' zegt Pietje. 'Ik heb geen bos gezien.'

Priscilla plukt zenuwachtig aan haar jurk. 'Ik heb ook nog nooit zwemmende boomstammen gezien.'

Sergio houdt zijn lamp dichterbij en dan zien ze het pas. Het zijn geen boomstammen, maar...

'Krokodillen!' Priscilla springt verschrikt achteruit.

'Ze kunnen er niet uit,' sust Pietje. 'De wanden zijn hartstikke steil.'

Sergio slikt. 'Laten we toch maar snel oversteken.'

Priscilla kijkt als een bang konijntje naar de brug. Hij is helemaal van gevlochten touw gemaakt, alleen op het loopgedeelte liggen planken.

'En als hij nou doorzakt?' vraagt ze benauwd.

Sergio wrijft peinzend over zijn kin. 'We kunnen het beste één voor één gaan. Dan verdelen we het gewicht.'

Hij wil al op de brug stappen, maar Pietje kruipt voor.

'Ik ga eerst,' zegt ze stoer. 'Ik weeg het minste. Als hij mij al niet houdt...'

Niet aan denken!

Ze pakt de slappe leuning vast en stapt op de brug. Wat een zwabberkont, zeg! En hij piept ook nog als een verkouden opaatje. De krokodillen komen meteen allemaal kijken.

Gelukkig is Pietje een kei in gym. Behendig loopt ze naar de overkant. 'Nu jij, Pris!'

Maar Priscilla staat als aan de grond genageld.

'Je hoeft niet bang te zijn.' Pietje springt ongeduldig op en neer. 'Zo'n magere lat houdt hij heus wel.'

Priscilla gluurt door haar oogharen naar familie krokodil. 'En als ik misstap?'

'Neem deze maar mee.' Sergio geeft Priscilla zijn zaklamp en duwt haar zachtjes de brug op. Voorzichtig schuifelt ze vooruit.

'Goed zo!' roept Pietje. 'Je bent al bijna halverwege.'

De brug schommelt en Priscilla gilt. Meteen klapperen de krokodillen met hun kaken. Priscilla bevriest.

'Doorlopen,' commandeert Pietje.

Maar Priscilla blijft als een ijskoningin staan. 'Ik durf niet meer.'

Sergio zucht. 'Oké, oké. Ik kom je wel helpen.'

Zodra hij op de brug stapt, zakt die een heel stuk door. De krokodillen sperren hun bekken nu wagenwijd open. Pietje kan bijna achter in hun kelen kijken.

Sergio zet er flink de sokken in. Binnen een paar tellen is hij bij Priscilla. Hij pakt haar schouders vast en stuurt haar vooruit.

Knap, knap! klinkt het plotseling achter Pietje.

Ze kijkt om. In de rotswand zijn twee ijzeren

ogen bevestigd. Door die ogen zitten touwen. En aan die touwen hangt de brug. Nog wel...

Het ene gevlochten touw is rafelig en dun. Steeds meer strengen knappen door.

'Hij krakt!' schreeuwt Pietje.

Priscilla stapt net van de brug af. Wat een mazzel dat ze zo'n enorme bos haar heeft! Pietje klauwt haar vingers in de blonde krullen en sleurt haar zus op de kant.

Nu Sergio nog!

Pietje steekt haar hand uit. Ja, bijna...

Knap! Het laatste stuk touw breekt nu ook. Het floept uit het oog en danst over de grond. Er gaat een schok door de brug en dan zakt hij scheef.

Pietje grijpt mis.

Sergio knalt op zijn knieën. Als een skiër op de piste roetsjt hij over de planken. Recht op de hongerige krokodillen af!

'Néééé!' brullen Pietje en Priscilla tegelijkertijd.

Sergio maait met zijn armen naar de leuning van de brug. Hebbes! Hij klauwt zijn vingers om het touw.

Pfff, doet Pietje.

Maar precies op dat moment slaan de planken onder Sergio's knieën vandaan!

Priscilla gilt hysterisch.

Sergio bungelt als een hapklare brok aan het touw. Zijn hoed kiepert van zijn hoofd en zeilt naar beneden. Een grote krokodil vangt hem op met zijn muil. Hap. Slik. Weg!

Pietje laat een windje van schrik. Stel je voor dat het Sergio zelf was geweest...

'Doe iets.' Priscilla bijt al haar nagels af.

Maar wat? Pietje kijkt radeloos rond. Had ze maar iets om Sergio mee omhoog te takelen. Een hijskraan of een touw of... het lint van haar jurk!

Met bibberhoutjes van vingers maakt ze de knoop los. Daarna wikkelt ze het lint stevig om haar pols.

'Kom achter me staan,' zegt ze tegen Priscilla. 'En sla je armen om mijn middel.'

Priscilla klemt zich aan Pietje vast. Ze huilt zachtjes. 'Het lukt nooit. Straks worden we allemaal opgegeten.'

'Niet zeuren. Doorwerken.' Pietje laat het lint in de kloof zakken. 'Hier, Serg. Ik tel tot drie, dan moet je het pakken.' Ze haalt diep adem. 'Eén, twee...'

Bij drie wordt haar hand er bijna afgerukt. Auwauwau! Ze bijt op haar lip om het niet uit te schreeuwen.

Priscilla schreeuwt wel. Als een leeuwin die haar jong moet verdedigen.

Oef, wat is Sergio zwaar! Pietjes schoenen schrapen over de rotsbodem. Als ze niet oppast, glijdt ze de kloof nog in!

Ze zakt nog dieper door haar knieën en zet zich schrap. 'Hangen!'

Pietje en Priscilla leunen zo ver mogelijk achterover, met hun billen vlak boven de grond. Voetje voor voetje gaan ze achteruit.

En dan verschijnt er een hoofd boven de rotsen!

'Sergio!' roept Priscilla dolblij.

Hij plant zijn ellebogen op de rand.

Pietje en Priscilla rennen op hem af. Ze sjorren aan de kraag van zijn suède jas en trekken hem veilig op de kant.

Hij blijft nog vijf minuten als een aangespoelde zeehond liggen.

'Sorry, sorry,' mompelt Priscilla wel honderd keer.

Vals

Sergio moet eerst even bijkomen en klokt de veldfles leeg. Priscilla fatsoeneert ondertussen haar haren. Pietje knoopt het lint weer om haar middel en wrijft over haar zere pols.

Dan kan ze echt niet langer wachten. 'Ik ga kijken wat er in de kist zit.'

Sergio komt als een speer overeind. Priscilla volgt hem als een hondje.

Om de kist zit een zware ketting met een hangslot.

'We hebben minstens een ijzerzaag nodig,' moppert Sergio.

'Of een nagelvijl.' Priscilla zucht. 'Maar die zit in mijn tasje.'

'Met een haarspeld lukt het ook wel.' Pietje plukt er eentje uit Priscilla's haren.

Ze hurkt bij de kist en wurmt de speld in het slot. Draaien.

Niks.

Duwen en draaien.

Nee.

Woest beweegt ze de speld heen en weer.

Klik!

'Hoera!' Priscilla trekt enthousiast aan Sergio's mouw.

Hij reageert niet, hij heeft alleen oog voor de kist.

Pietje wurmt het slot open en gooit de ketting eraf. 'Sesam open u!'

Samen met Sergio tilt ze het deksel eraf.

Zo hé! In de kist liggen sieraden en goudstukken en vazen. En alles schittert en flonkert en glinstert als sterren.

Sergio verandert in een ekster. Hij graait en graait en stopt zijn rugzak vol. En zijn jaszakken. En daarna de zakken van zijn broek.

'Straks zakt hij nog af.' Priscilla giechelt.

Sergio maakt de bovenste knoopjes van zijn bloes open. Hij laat een zilveren beker naar binnen glijden. En geld, veel geld. Zijn buik wordt steeds dikker.

'Wij kunnen ook wel wat dragen, hoor,' zegt Pietje.

Ze haalt de schatkaart uit de zak van haar jurk. Nu passen er tenminste wat goudstukken in.

Priscilla hangt een snoer met kralen om haar hals. Sergio schuift een lading armbanden om zijn polsen. Hij staat langzamerhand krom van het gewicht.

De bodem van de schatkist komt in zicht. En dan gebeurt er iets vreemds.

Sergio trekt de kaart uit Pietjes handen en loopt weg!

'Zou je niet even op ons wachten?' zegt Pietje kriegel.

Maar Sergio wacht niet. Hij zet het op een rennen.

Langzaam begint er iets bij Pietje te dagen. Ze denkt aan Ali Baba. En vooral aan de veertig rovers.

'Sergio, alsjeblieft!' schreeuwt Priscilla. 'Wat ga je doen?'

Hij mindert vaart en draait zich even om. 'Sorry, maar jullie zijn rijke prinsessen en ik ben maar een arme student.'

Pietje krijgt zwarte vlekken voor haar ogen. 'Een gemene dief, bedoel je!'

'We hebben je nog wel gered,' zegt Priscilla ongelovig.

Sergio holt een tunnel in en verdwijnt.

'De rotzak.' Pietje sist tussen haar tanden.

Priscilla staart naar de ingang van de tunnel. Met ogen vol verwachting. 'Het is natuurlijk een grapje. Hij komt zo terug.'

'Ik zou er niet op rekenen.' Kwaad knijpt Pietje in een goudstuk.

Verhip. De munt knakt doormidden.

Er springen tranen in Priscilla's ogen. 'Maar hij was zo aardig en zo lief en zo...'

'Vals,' zegt Pietje. Ze houdt haar lamp bij het goudstuk. Het is niet van goud, maar van chocola. Er zit alleen een goudkleurig papiertje omheen.

'Ik wilde met hem trouwen,' snikt Priscilla.

'Laat je ketting eens zien.' Pietje krabt over de kralen. Onder haar nagel zit verf. Ja, hoor, ook vals. En dan, ineens, krijgt ze de slappe lach.

'Sorry, maar dat is toch niet om te lachen?' zegt Priscilla.

'De schat is vals.' Pietje komt niet meer bij. 'Sergio is er vandoor met een nepschat. Kijk maar.' Ze laat de munt en de ketting zien.

Priscilla roept 'oh' en 'ah' en dan doet ze ineens paniekerig. 'Maar Sergio heeft ook de nepkaart meegenomen. We komen nooit meer levend uit de berg!'

'Tuurlijk wel. Ik zei toch dat ik de échte schatkaart op een goed plekje had verstopt?' Pietje tilt haar jurk op en haalt hem uit haar onderbroekje. 'Hier dus!'

Priscilla huilt en lacht tegelijk. 'Je bent geweldig!'

'Ik ga niet met je trouwen, hoor,' waarschuwt Pietje.

Pietje en Priscilla zitten samen over de schat-kaart gebogen.

'We moeten deze tunnel volgen.' Pietje wijst met haar vinger. 'Kijk maar, aan het einde is een deur getekend. Dat is natuurlijk de uit-gang.' Ze tuurt naar de vreemde tekens en zucht. 'Alleen kunnen we deze keer het rijm-pje niet lezen.'

'Volgens mij weet ik nog hoe het ging!' Pris-cilla fronst haar voorhoofd. 'Even denken.'

Pietje houdt haar adem in.

'Ja, ja, zo was het!' Priscilla beweegt met haar armen alsof ze de maat slaat. 'Buiten zie je enkel berg, maar dat is niet erg. Vanbinnen gaat hij open en kun je naar buiten lopen.'

De schatkist

Ze lopen door de tunnel en stijgen flink.

'Zou Sergio de uitgang al gevonden hebben?' vraagt Priscilla.

Het zal Pietje een worst wezen. 'Ik hoop dat hij...'

'Oeps!' Priscilla glijdt uit en valt bijna.

Pietje kan haar nog net op tijd opvangen.

'Dank je.' Priscilla trekt haar jurk recht. 'Het is hier spiegelglad.'

Pietje schijnt omlaag. 'Niks gek. De grond is kledder.'

Ze laat een lichtstraal langs de muren glijden. Op één plek is de bergwand net een spons. Er sijpelen honderden straaltjes water uit.

'Ik kan het nog steeds niet geloven,' zegt Priscilla.

'Dat je bijna gevallen bent?' vraagt Pietje verbaasd.

'Van Sergio.' Priscilla zucht. 'Ik vond hem juist zo'n schatje.'

'Nepschat nummer twee.' Pietje voelt zich weer kwaad worden. 'Oh, wat zou ik er graag bij zijn als hij ontdekt dat...'

Er gaat een trilling door de vloer.

'Voelde jij dat ook?' piept Priscilla.

Dan begint de sponzige muur te zuchten en te schudden.

Een aardbeving! raast het door Pietjes hoofd. Ze pakt Priscilla's arm en sleurt haar mee achteruit.

RommeldebommeldeBOEM!

Het lijkt alsof er een lading dynamiet ontploft. Rotsblokken vliegen in het rond. De muur barst open en een zee van water gulpt naar buiten. Het slaat hen bijna van de sokken.

'Terug!' schreeuwt Pietje.

Ze rennen en rennen, terwijl het water hen op de hielen zit.

Pietjes hart bonkt tegen haar ribben en haar benen lijken net kauwgomslierten. Het

dreunt in haar hoofd. Waren ze maar dóór-
gelopen in plaats van terug. Dan hadden ze
nu hoog en droog gestaan.

Daar is het einde van de tunnel! Ze hollen
de grot in, racen de schatkist voorbij en...

Precies tegelijk staan ze stil.

'Piet...' De rest van de woorden blijven in
Priscilla's keel steken.

Maar Pietje weet toch wel wat ze denkt.

Er ís geen weg terug. De brug is stuk en de
bergwand dicht en de dwerg...

ZE KOMEN HIER NOOIT MEER UIT!

In haar hoofd speelt zich een filmpje af.
Over twee watertrappelende prinsessen die ten
slotte kopje onder gaan. Over een kloof die
volloopt, zodat de krokodillen...

Ze wordt duizelig.

'Was meneer dwerg maar hier met zijn
bootje,' snikt Priscilla.

Pietje drukt de akelige plaatjes weg. Een
bootje! Dat is het! Ze duwt Priscilla naar de
kist.

'Hij is van hout en blijft vast wel drijven.'
Ze hoopt maar dat hij ook krokodillen-
proof is.

Ze zitten met opgetrokken knieën in de schatkist en eten chocolade munten. Ondertussen
kijken ze naar de kloof, die langzaam maar
zeker overstroomt.

Over de rand verschijnt een krokodillen-snuit.

'Piet,' fluistert Priscilla met een brok in haar keel.

Pietje richt haar zaklamp snel een andere kant op. Wat je niet ziet, bestaat niet...

Maar ook daar drijft een krokodil.

Dan schijnt Pietje maar langs de rotswand omhoog. Vlak onder het plafond ziet ze iets bewegen. Blaadjes, waar blauw doorheen schemert.

Blauw???

Pietje vergeet even te ademen. Er zit een gat in de berg!

'Kijk Pris, de lucht!' roept ze. 'We kunnen ontsnappen!'

Priscilla tuurt naar boven. 'Dat lukt dus nooit zonder ladder,' zegt ze teleurgesteld.

'Echt wel.' Pietjes stem slaat over. 'We hoeven alleen te wachten tot het water stijgt. Dan gaan we vanzelf mee omhoog!'

Ze doen spelletjes om de tijd te doden. Geen ja en geen nee zeggen. Ik zie ik zie wat jij niet ziet. En ondertussen proberen ze heel hard om niet op de krokodillen te letten. Ze liggen bij bosjes op de oever. Soms beweegt er eentje zijn staart.

Dan gaat er eindelijk een schokje door de kist en tilt het water hen op.

'Varen, varen, over de baren,' zingt Pietje blij.

Priscilla niet. Binnen een paar minuten is ze zeeziek en hangt ze als een dweil in de schatkist.

Bedankt Sergio, denkt Pietje kwaad.

Ze tuurt door het gat in de rotswand. Naar de lucht die steeds donkerder wordt.

Nog even en het is nacht. Papa en mama zullen onderhand wel ongerust worden.

Ineens jeuken er tranen achter Pietjes ogen. Ze heeft het gevoel dat ze helemaal alleen op de wereld is.

'Pris,' fluistert ze.

Maar Priscilla maakt snurkende geluiden en weet van de prinses geen kwaad.

Pietje legt haar hoofd op haar knieën. Niet janken. Aan leuke dingen denken. Taartjes met slagroom. Een achtbaan op de kermis... Het duurt nog een hele tijd voordat ze in slaap sukkelt.

Een zonnestraal kietelt Pietje wakker.

Ai, ze is zo stijf als een plank. Hoe lang heeft ze wel geslapen?

Ze rekt zich uit en kijkt rond. De kist drijft op gelijke hoogte met het gat!

'Pris, wakker worden! Het is zover!' Pietje schudt aan de smalle schouders van haar zus.

'Wat?' Priscilla doet lodderig haar ogen open.

Op dat moment bonkt er iets tegen de kist.

Pietje gluurt over de rand en slikt. 'Chips! We zijn omsingeld.'

Rond de kist drijven krokodillen met loerende oogjes.

Priscilla's nagels zijn allemaal op. Daarom begint ze maar op haar nepketting te kluiven. En dan krijgt Pietje een idee. 'Geef je ketting eens hier.'

Priscilla schuift hem over haar hoofd. 'Je gaat toch niet iets gevaarlijks doen?'

'Nee-hee.' Pietje bijt met haar tanden de draad doormidden en vangt de losse kralen op in haar hand. Huppekee! Ze gooit ze met een grote boog in het water. Zo ver mogelijk van de kist vandaan.

Het werkt! De krokodillen zwemmen er allemaal op af.

'Die sufferds denken dat het voedertijd is!' Pietje juicht.

'Niet zo wiebelen.' Priscilla kokhalst.

'Ik wiebel niet,' zegt Pietje. 'We varen!'

Het gat is net een grote afvoerput. Het water en de kist worden er vanzelf naartoe gezogen.

Ze draaien nog een rondje in de berg en drijven dan naar buiten.

De schat

Het water stroomt de berghelling af, maar de kist kan niet verder. Hij zit klem tussen struiken die over het gat zijn gegroeid.

Een bulldozer was handig geweest, denkt Pietje.

Ze gaat over de voorkant van de kist hangen en strekt haar armen uit. Nu kan ze de takken uit elkaar duwen.

Ja! De kist drijft een eindje verder.

'Goed zo!' moedigt Priscilla aan.

Weer maakt Pietje de weg vrij. Hé hup. Hé hup. Stukje bij beetje gaan ze vooruit.

Priscilla klapt in haar handen. 'Ik zie de laatste bosjes al.'

Pietje duwt ze uit elkaar.

Wauw, wat een uitzicht! Ze kan over de hele stad uitkijken en zelfs nog verder.

Priscilla gaat staan. 'Daar Piet. Onze kamelen!'

Pietje volgt Priscilla's uitgestoken vinger. Haar hart vergeet even te slaan. Er loopt een mannetje bij de kamelen. Een dikkig mannetje met een witte tulband op.

'Het is die griezel uit de bieb,' zegt ze.

'Wat doet die nou hier?' vraagt Priscilla verbaasd.

'Hij wacht natuurlijk op Sergio.' Pietje balt haar vuisten. 'Ze hebben sámen het plan beraamd om de schat te stelen. Wedden?'

Het mannetje ziet hen nu ook. Hij roept en hij zwaait. Meteen verschijnen er nog meer mensen vanachter rotsblokken en struiken.

Pietje staat stijf van het kippenvel. Het is een complete roversbende!

'Het zijn de sultan en zijn dienaren.' Priscilla springt overeind. 'En papa en mama zijn er ook bij!'

Dan herkent Pietje hen pas. Een warme gloed golft door haar buik.

'Hiero! Wij zijn het!' Ze wappert wild met haar armen en danst op en neer.

Iets té wild.

De kist schiet over de gladde rotsen vooruit en de prinsessen ploffen terug op de bodem. Trrrrrrrrrr. Ze hobbelen de berg af. Pietjes tanden trillen zo ongeveer haar mond uit. Hop, door een gleuf. Tjoep, over een bobbel. De kist wipt omhoog en raakt los van de grond. Pietje staart verbijsterd naar beneden. Ze vliegen! Priscilla snoert haar armen om Pietjes hals. Ze lijkt wel een wurgslang. Pietje kan bijna geen adem meer halen. Zoefffff. De kist zweeft op het groepje mensen af. Ze hollen paniekerig alle kanten op. Iemand slaat de kamelen op hun kont, zodat ze er op een drafje vandoor gaan. Alleen de koning en de koningin blijven als bevroren staan.

Chips, de kist daalt weer! De rotsen en struiken komen steeds dichterbij.

De koningin slaat haar handen voor haar ogen.

We vallen te pletter! denkt Pietje. Ze zet zich schrap voor de klap.

Plof!

Ze zijn in de struiken geland. Even is het stil, op de krakende takken na.

Dan begint Priscilla zachtjes te jammeren. Het klinkt Pietje als muziek in de oren. Ze leven allebei nog!

Het hoofd van de koningin verschijnt boven de kist. 'Mijn schatjes, mijn lieverds.'

En dan het hoofd van de koning. 'Ik laat jullie eruit halen.'

Zodra hij met zijn vingers knipt, komen er vier dienaren opdraven. Ze tillen de kist uit het struikgewas.

'Zet maar op de grond,' zegt Pietje.

'Zet maar op de grond,' vertaalt sultan Moesafar.

Maar een van de dienaren blijft met zijn voet achter een tak haken en verliest zijn evenwicht. De kist kiepert om en Priscilla en Pietje rollen eruit.

En zij niet alleen.
De scharnieren van Pietjes kaken zijn ineens
kapot. Met open mond staart ze naar de kist.
Hij heeft een dubbele bodem! De bovenste is
eruit geklapt en daaronder ligt een laag van
diamanten, juwelen en edelstenen.
Dus toch...
'De échte schat van Duizend-en-een-nacht!'
roept Pietje. 'We hebben er de hele tijd boven-
op gezeten.'
En dan moeten ze alles vertellen.

Sergio

'Jullie mogen nooit meer zoiets stoms doen!'
De koningin pinkt een traantje weg. 'Het had
ook heel anders kunnen aflopen.'

'Als ik die Sergio ooit te pakken krijg,' gromt
de koning.

Serg. Iets knaagt er bij Pietje. Ergens hoopt
ze maar dat hij veilig is.

'Nooit geweten dat er achter die struiken
een opening was.' De sultan schudt zijn hoofd.
'Dat had jullie heel wat ellende kunnen be-
sparen.'

'Neem me niet kwalijk,' zegt Priscilla. 'Maar
hoe wisten jullie dat we in de berg waren?'

De koning knikt naar het mannetje met de
tulband. 'Prins Moeloek heeft jullie naar binnen zien gaan.'

Pietje denkt terug aan de kamelentocht.
Dus ze werden toch bespied!

De koningin houdt de handen van de prinsessen stevig vast. 'En toen jullie maar weg-bleven, kwam hij ons waarschuwen.'

Pietje begrijpt er steeds minder van. Hoe wist die prins dat ze in het paleis van de sultan logeerden?

'Ondertussen hadden wij het briefje gevonden.' De koning wrijft over zijn kale hoofd. 'We zijn meteen de berg ingegaan om jullie te zoeken.'

De sultan knikt. 'We hebben de pijlen in de doolhof gevolgd. Maar aan het eind konden we niet verder. Een grote bal versperde de weg.'

Priscilla wordt bij de herinnering weer een tikkeltje bleek. Meteen komt prins Moeloek naar haar toe en biedt haar een pepermuntje aan.

Pietje niet, die slaat hij over.

Nou moe! Pietje kijkt hem wantrouwend aan. Speelt hij echt niet onder één hoedje met Sergio? Hij zat toch achter de schatkaart aan?

Maar prins Moeloek heeft geen aandacht voor de schat. Hij let alleen maar op Priscilla.

Zodra ze het pepermuntje in haar mond

heeft gestopt, valt hij op zijn knieën voor haar neer.

Hij stoot klanken uit in een andere taal.

'Sorry, prins Moeloek,' zegt Priscilla. 'Maar ik kan u niet verstaan.'

'Hij zegt dat hij je gezien heeft bij de bibliotheek,' legt de sultan uit. 'Het was liefde op het eerste gezicht. Maar je was steeds in gezelschap van een andere jongen. Daarom durfde hij je niet aan te spreken.'

Priscilla verslikt zich bijna in haar pepermuntje.

'Prins Moeloek vraagt of je zijn vierentwintigste vrouw wilt worden,' besluit de sultan.

'Zijn vierentwintigste!' roept Pietje uit.

De sultan haalt zijn schouders op. 'In ons land is het heel normaal om zo veel vrouwen te hebben.'

De koningin snuift. 'Nou, bij ons vinden we ééntje wel genoeg.'

Gelukkig wel, denkt Pietje. Vierentwintig moeders die op je letten!

De koning slaat zijn arm om Priscilla heen en trekt haar dicht tegen zich aan. 'Bovendien is mijn dochter nog veel te jong om te trouwen.'

De sultan brengt de boodschap aan prins Moeloek over. Hij komt met een chagrijnig gezicht overeind en banjert met grote passen weg. Zonder iets te zeggen.

Poepoe. Pietje kijkt hem na tot hij achter het struikgewas is verdwenen.

Hè? Er gaat een schokje door haar heen.

Tussen de bladeren van de struiken blinken twee ogen! Het ene is bruin en het andere groen.

Sergio! wil ze bijna schreeuwen.

Maar dan denkt ze aan de vierentwintig vrouwen. In dit land is alles anders. Als je iets hebt gestolen, hakken ze misschien je handen er wel af!

Ze klemt haar lippen op elkaar.

'Zullen we gaan?' vraagt de sultan.

De dienaren dragen de kist naar de kamelen. Daarachter lopen de sultan en de koningin. De koning en Priscilla volgen arm in arm. Pietje treuzelt bij de struiken tot de anderen ver genoeg weg zijn.

'Ik heb je wel gezien,' fluistert ze dan.

Sergio steekt zijn hoofd uit de bosjes. 'Ik heb er zo'n spijt van.'

'Dat is je geraden ook.' Pietje spuugt de woorden uit.

'Ik had echt wel iemand gestuurd om jullie op te halen,' zegt Sergio op een smekend toontje.

'Zal wel.' Pietje briest als een paard.

'Echt waar.' Sergio wrijft in zijn ogen. 'Ik weet ook niet wat er met me gebeurde, maar toen ik de schat zag...'

'Ikke, ikke en de rest kan stikken.' Pietjes ogen spuwen vuur. 'En nu heb je niks. Alleen maar een nepschat. Anders hadden we eerlijk gedeeld.'

Sergio knikt. 'Het spijt me echt. Maar ik wilde zo graag een heleboel kostbare oude boe-ken kopen.'

'Je hebt ons in de steek gelaten voor een paar boeken?' Pietje draait zich kwaad om. 'Weet je wat jij doet? Ga lekker naar de bieb!'

Pietje haalt de anderen in.

'En wat gebeurt er nu met de schat?' vraagt ze.

'De sultan mag beslissen,' zegt Priscilla met-een. 'Het was zijn schatkaart.'

'Maar jullie hebben hem gevonden.' De sul-tan kijkt naar de kist. 'Dus hebben jullie ieder een deel verdiend.'

'Dank u wel.' Priscilla glimt als een spiegeltje.

'Hoera!' Pietje huppelt van plezier. 'Dan ga ik een echte kameel kopen!'